CW00847804

Ta-Ta Tryweryn

Gwenno Hughes

GOMER

Argraffiad cyntaf: 1999
Ail argraffiad: 2002

ISBN 1 85902 688 5

Dymuna'r cyhoeddwyr gydnabod cymorth
Adrannau Cyngor Llyfrau Cymru.

Argraffwyd a chyhoeddwyd gan
Wasg Gomer, Llandysul, Ceredigion SA44 4QL

Pennod 1

‘Paid â dweud celwydd, Iolo!’

‘Dydw i ddim!’

‘Ti’n eu palu nhw!’

‘Ar fy llw!’

‘Dydw i ddim yn coelio gair ti’n ei ddweud,’ cyfarthodd Huw eto. ‘Mi ddywedaist ti fod ’na fwgan ym mynwent Capel Celyn!’

‘ . . . Ac ysbryd yn y becws, yn y Bala!’ ychwanegodd Mari.

‘A dwi hyd yn oed yn dy gofio di’n dweud fod yna fwystfil rheibus o’r enw Tegi’n byw ar waelod Llyn Tegid!’ gwawdiodd Huw, unwaith yn rhagor.

Ond roedd yna rywbeth yn llais Iolo a wnaeth i Bedwyr amau fod ei ffrind gorau wedi cael ysgytwad go iawn, amser cinio yn y dref.

‘Pwy ddywedaist ti oedd eisiau boddi Cwm Tryweryn, Iolo?’ holodd Bedwyr.

‘Pobol o Lerpwl.’

‘Lerpwl?’

‘Ia,’ atebodd Iolo.

'Pwy ydyn nhw?'

'Wn i ddim.'

'A sut ar wyneb y ddaear y byddai rhywun yn boddi cwm?' gofynnodd Huw.

'Dim problem,' atebodd Iolo.

'Y?'

'Y cwbwl sydd angen ei wneud ydi codi wal fawr ar draws ceg y cwm a phwmpio dŵr o'r afonydd i mewn iddo.'

'Adeiladu argae a chreu cronfa ddŵr ti'n ei feddwl?' meddai Bedwyr.

Nodiodd Iolo.

'Ond pam ar wyneb y ddaear fyddai pobol o Lerpwl eisiau dod yr holl ffordd i Gwm Tryweryn i wneud hynny?'

'Mi alwodd y deintydd arna i cyn i mi glywed gweddill y stori ac mi fu'n rhaid i mi fynd i dynnu dant. Mae o'n brifo hefyd.'

'Ofynnaist ti rywbeth iddo fo 'ta?' gofynnodd Bedwyr.

'Am fy nant?'

'Naci'r hulpyn. Am y bobl 'ma o Lerpwl.'

'Ches i ddim cyfle. Mi stwffiodd o 'i fysedd i lawr fy nghorn gwddw i yr eiliad yr eisteddais i yn ei sêt.'

‘Rwyt ti’n siarad trwy dy het, Iolo Morgan!’ cyhoeddodd Huw.

‘Nac ydw!’

‘Wyt!’

‘Os dywedi di hynna unwaith eto . . .’ bygythiodd Iolo.

‘Be wyt ti’n mynd i’w wneud?’

‘Mi ddyweda i wrthat ti be dwi am ei wneud—y lembo!’

Crac!

Plannodd Iolo ddyrnod galed yng nghanol wyneb Huw. Hedfanodd Huw yn ei ôl, ond ymhen dwy eiliad roedd yn rhuthro tuag at Iolo a’i ddyrnau’n barod.

Dwylo . . . dyrnau . . . breichiau . . . coesau . . . Chwyrlïai’r cwbwl yn yr awyr. Ceisiodd Bedwyr ei orau glas i wahanu’r ddau, ond cafodd glustan hegar ar dop ei drwyn am ei drafferth!

Drybowndiodd gweddill y plant i dop yr iard i weld y sioe.

‘Ffeit!’

‘Ffeit!’

Rhedodd rhywun i nôl Miss.

Sgrialodd hithau allan o’r ysgol gan ysgwyd y gloch yn ffyrnig.

'Amser chwarae ar ben!' arthiodd. 'Iolo Morgan! Huw Thomas! Bedwyr Jones! Stopiwch hi'r munud 'ma!'

Sobrodd y tri ohonynt ar eu hunion. Teimlodd Bedwyr rywbeth cynnes, gwlyb, uwch ei wefus. Trwyn gwaed!

'Ei fai o oedd o!' meddai Iolo gan bwyntio at Huw.

'Ti ddechreuodd . . .'

'Naci Tad!' amddiffynnodd Iolo gan fwytho'r chwydd ar ei foch.

'Dydw i ddim am glywed rhagor!' torrodd Miss ar eu traws. 'Pawb i mewn! Rŵan!'

Ac fe lusgodd pawb i mewn i'r dosbarth fel ŵyn i'r lladdfa.

Roedd Miss—diolch byth—wedi credu mai dim ond trio stopio'r ffeit yr oedd Bedwyr, ond roedd hi'n benderfynol o fynd i lygad y ffynnon. Dyna pam roedd hi wedi galw ar Iolo a Huw i flaen y dosbarth i'w croesholi.

'Ro'n i'n dweud y gwir, Miss,' meddai Iolo.

'Hy!' meddai Huw.

'A beth yn union ydi'r gwir yma, Iolo?' gofynnodd Miss.

'Roedd 'na ryw hen ddyn yn disgwyl am ei ddannedd gosod yn y ddeintyddfa ac mi glywais i o'n dweud fod 'na gynlluniau ar droed i foddi Cwm Tryweryn!'

'Glywsoch chi'r fath beth, Miss?' chwarddodd Huw.

'Mi fydd hi'n ta-ta ar Dryweryn—dyna ddeudodd o!'

'Dim ond rhywun hanner call a dwl fyddai'n awgrymu'r fath beth, y lembo!'

Ond yn hytrach na tharanu a ffraeo yn ôl ei harfer, ddywedodd Miss 'run gair. Edrychodd pawb arni. Roedd yn amlwg i Bedwyr ei bod hi'n gwybod rhywbeth.

'Dydi o ddim yn wir, yn nag ydi Miss?' gofynnodd Huw.

Atebodd hi ddim.

'Yn nag ydi?' meddai Huw eto, mewn llais bach, bach.

'Wel, mae 'na ryw si . . .' atebodd hithau.

Allai Bedwyr ddim credu ei glustiau!

'Does dim eisio i chi ddychryn na

chynhyrfu,' meddai Miss, 'achos dim ond si ydi o . . .'

Gellid clywed pìn yn disgyn.

'Ond pam fyddai pobol o Lerpwl eisio boddi ein cwm ni, Miss?' holodd Bedwyr.

'Am eu bod nhw'n meddwl mai dyna'r ffordd orau i wneud yn siŵr fod Lerpwl yn cael digon o ddŵr—drwy greu cronfa a phwmpio'r dŵr trwy bibellau i'r ddinas,' eglurodd hithau.

'Oes 'na ddim digon o ddŵr yn yr afon Mersi, Miss?' meddai Mari mewn penbleth.

Ysgydwodd Miss ei phen.

'Mae Lerpwl yn mynd yn fwy ac yn fwy bob dydd,' meddai, 'ac mae Cyngor Lerpwl yn meddwl na fydd 'na ddigon o ddŵr i gynnal y ddinas erbyn diwedd y ganrif.'

'Sut maen nhw'n gwybod hynny?' gofynnodd Huw. 'Dim ond 1956 ydi hi.'

'Dyna maen nhw'n ei rag-weld,' atebodd Miss.

'Mae 'na ddigon o lynnoedd yn Lloegr,' meddai Bedwyr. 'Pam na fedran nhw bwmpio dŵr i Lerpwl o'r rheini?'

'Mae Cyngor Lerpwl yn credu y byddai

hi'n rhatach iddyn nhw greu cronfa yma,' atebodd Miss.

'Oes 'na ddim cwm allan nhw ei foddi yn Lloegr?' gofynnodd Iolo.

Codi a gostwng ei hysgwyddau wnaeth Miss.

'Ond dydi hynna ddim yn deg!' ebychodd yntau.

'Fedran nhw ddim boddi'r cwm yma—a phentre Capel Celyn—jest er mwyn creu cronfa! Mi fydden nhw'n gorfod boddi'n tŷ ni!' sylweddolodd Mari.

'A'n tŷ ni!'

'A'n tŷ ninnau!'

Roedd pawb yn syfrdan.

'A'r ysgol!'

'A'r capel!'

'Beth fyddai'n digwydd i ddefaid Dad?'

'A gwartheg Yncl Mos?'

'Beth fyddai'n digwydd i *ni*?' pwysleisiodd Bedwyr.

'Dwi wedi dweud bod dim angen i chi gynhyrfu,' dwrdiodd Miss. 'Dim ond si ydi o . . .'

'Mae'n rhaid bod rhyw wirionedd ynddo fo,' meddai Bedwyr. 'Does dim mwg heb dân.' Dyna fyddai ei fam wastad yn ei ddweud am unrhyw si.

'Wnaiff neb wneud dim heb i bawb yng Nghwm Tryweryn gytuno,' meddai Miss.

'Wel, wnawn ni ddim!' meddai Iolo.

'Na wnawn!' ategodd Iolo.

'Byth!' ochneidiodd Mari. 'Chân nhw ddim boddi'r cwm! Chân nhw ddim!'

'Dyna fo 'ta,' meddai Miss. 'Does gennym ni ddim byd i boeni yn ei gylch o.'

Ond roedd Miss yn anniddig. Gallai Bedwyr ei synhwyro. Ac wrth iddi dweud wrthyn nhw am droi i dudalen saith yn y llyfr canu, dechreuodd Bedwyr amau ei bod hi'n dweud un peth ond yn meddwl rhywbeth hollol wahanol . . .

Pennod 2

Carlamodd Bedwyr drwy ddrws agored y gegin.

'Nefi wen!' meddai Mam. 'Be 'di'r brys?'

'Ydach chi wedi clywed?'

'Clywed be?' gofynnodd Mam heb dynnu'i llygaid oddi ar y pentwr tatws roedd hi'n eu plicio.

'Fod 'na gynlluniau ar y gweill i foddi'r cwm! I foddi'n tŷ ni!'

Stopiodd Mam y plicio.

'Pwy ddywedodd hynna wrthat ti?'

'Miss Griffiths. Wel, naci, Iolo oedd wedi clywed yn y dre ac mi eglurodd Miss fod 'na ryw si ar led.'

Edrychodd Mam arno.

'Wel—oeddach chi a Dad yn gwybod?'

'Oeddan.'

'Pam na ddywedsoch chi ddim byd?'

'Doeddan ni ddim eisio i ti boeni.'

'Dim eisio i mi boeni!' ffrwydrodd Bedwyr. 'Ond mae hyn yn bwysig! Mae hyn yn *holl* bwysig! Roedd gen i hawl i gael gwybod!'

Roedd hi'n amlwg i Bedwyr rŵan fod hyn yn fwy na dim ond si.

'Be sy'n mynd i ddigwydd, Mam? Fyddwn ni'n gorfod symud oddi yma? Fyddwn ni'n gorfod gadael Llety Celyn?'

'Na fyddwn wir!' meddai Nain gan hwylio i mewn i'r gegin. 'Rydw i wedi byw yng Nghwm Tryweryn ar hyd fy oes a does gen i mo'r bwriad lleiaf o godi 'mhac am fod 'na ryw gyngor o ochrau Lerpwl 'na am greu cronfa ddŵr!'

'Fe ddywedodd Miss na all neb wneud dim heb i ni gytuno,' cofiodd Bedwyr.

'Yn union,' meddai Nain. 'A dydan ni ddim yn mynd i gytuno, yn nag ydan Martha?'

Ysgydwodd Mam ei phen. 'Dyna ble mae Dad wedi mynd pnawn 'ma—i gyfarfod o Bwyllgor Amddiffyn Capel Celyn.'

'Pwyllgor Amddiffyn Capel Celyn?'

'Mae 'na griw o bobol y pentre wedi dechrau trefnu protestiadau yn erbyn Cyngor Lerpwl, ti'n gweld, cyw,' meddai Nain, 'er mwyn gwneud yn siŵr fod pawb yn dod i wybod na wnaiff pobol Tryweryn blygu i fwlio Cyngor Lerpwl.'

Roedd meddwl Bedwyr yn rhedeg a rasio.

'Ond be tasa hi'n mynd i'r pen arnon ni?' gofynnodd. 'Be tasa'r protestio'n methu? Ym mhle bydden ni'n byw wedyn?'

'Mae'r Cyngor wedi cynnig adeiladu tai newydd i ni ym Mron Celyn,' meddai Mam.

Roedd Bron Celyn dair milltir i ffwrdd!

'Dydw i ddim eisio byw ym Mron Celyn!' ebychodd Bedwyr. 'Mae'n gas gen i Fron Celyn!'

'A finna hefyd,' meddai Nain. 'Twll o le ydi o, a dyna pam mae'n rhaid i ni wneud yn berffaith siŵr fod y protestio'n llwyddo.'

Roedd Bedwyr yn cytuno gant y cant. Trodd ar ei sawdl a'i hanelu hi am allan.

'I ble rwyt ti'n mynd?' galwodd Mam ar ei ôl.

'I chwilio am yr hogia.'

'Hei! Dwyt ti ddim wedi dweud wrtha i eto sut gest ti'r trwyn gwaed 'na.'

Ond roedd hi'n rhy hwyr. Roedd Bedwyr wedi diflannu.

Dyrnodd Bedwyr ar ddrws cefn cartref Iolo.

'Pwy sy 'na?'

'Bedwyr. Dwi'n chwilio am Iolo.'

'Mae o yn y sièd,' rhuodd Mr Morgan, taid Iolo, o'r tu mewn.

Brasgamodd Bedwyr tua'r sièd yng ngwaelod yr ardd. Taflodd y drws yn agored. Cododd Iolo'i ben.

'Mae'n rhaid i ni wneud rhywbeth i helpu!' cyhoeddodd Bedwyr.

Roedd Iolo'n cytuno.

'Ond be?'

'Wn i ddim. Eto.'

'Roedd Taid yn dweud na fydd Cyngor Lerpwl yn medru gwneud dim heb ganiatâd pobol Lerpwl eu hunain,' meddai Iolo.

Doedd Bedwyr ddim yn deall.

'Mae codi argae'n mynd i gostio miliynau o bunnoedd, ti'n gweld,' eglurodd Iolo.

'Yndi . . .'

'Wel, mae Cyngor Lerpwl yn gobeithio cael yr arian yna o'r trethi maen nhw'n eu codi ar bobol Lerpwl.'

'Ie . . ?'

'Wel, chân nhw ddim gwneud hynny heb gael caniatâd pobol y ddinas i ddechrau.'

'O, reit . . .'

Roedd pethau'n gliriach erbyn hyn.

'Felly y peth cyntaf sy'n rhaid i'r Cyngor ei wneud ydi perswadio pobol Lerpwl i bleidleisio o blaid boddi'r cwm.'

'Dwi'n gweld.'

'Dyna pam mae Pwyllgor Amddiffyn Capel Celyn wedi trefnu protest fawr.'

'Ymhle?' gofynnodd Bedwyr.

'Yn Neuadd Dinas Lerpwl.'

'Pryd?'

'Wythnos i heddiw, ar Dachwedd yr unfed ar hugain. Mae'r Cyngor yn cyfarfod i drafod sut y dylid perswadio'r bobol i bleidleisio o blaid boddi'r cwm. Drwy drefnu protest y tu allan i'r Neuadd, mae Taid yn gobeithio y gall y Pwyllgor Amddiffyn ddangos i bobol Lerpwl mai cynllun gwallgo ydi o ac y dylen nhw bleidleisio yn ei erbyn . . .'

Syniad da, meddyliodd Bedwyr. Cyfrwys.

'Mi fydd yn rhaid i ni fynd hefo nhw felly,' meddai.

'Mae 'na un broblem.'

'Be?'

'Dydi plant ddim yn cael mynd ar y brotest.'

Bang! Bang! Bang!

Daeth curo mawr ar y drws.

'Pwy sy 'na?' holodd Iolo.

'Ni.'

'Pwy ydi *ni*?'

'Huw a Mari. Gawn ni ddod i mewn?'

Edrychodd Iolo ar Bedwyr. Am ddi-gywilydd! Roedd Huw wedi rhoi crasfa go iawn iddo a rŵan roedd ganddo fo'r wyneb i ofyn am gael dod i mewn i'r sièd!

'Be wyt ti eisio?' gwaeddodd Iolo.

Agorodd y drws a baglodd y brawd a'r chwaer i mewn.

'Rydan ni newydd glywed am y brotest yn Lerpwl!' meddai Mari.

'Ac mae Mam yn dweud nad ydi plant yn cael mynd!' ychwanegodd Huw. 'Rydan ni wedi crefu am gael mynd, ond mae hi'n bendant nad lle plant ydi protestio!'

'Be sy gan hynny i'w wneud hefo ni?' holodd Iolo yn sorllyd.

'Yli, dwi'n gwybod y dyliwn i fod wedi dy gredu di y pnawn 'ma . . .'

'Dylet!' torrodd Iolo ar ei draws.

'Mae'n ddrwg gen i.'

'Fyddwn i'n meddwl hynny hefyd,' dywedodd Iolo.

'Ond ti roddodd y ddyrnod gyntaf.'

'Ia, wel, roeddet ti'n ei haeddu hi . . .'

'Dydw i ddim yn meddwl mai rŵan

ydi'r amser i ffraeo,' meddai Bedwyr cyn i'r ddau fynd i yddfau ei gilydd eto.

'Naci, ti'n iawn,' dywedodd Huw. 'Dod yma wnaethon ni i ddweud y dylen ni fod yn gefn i'n gilydd a mynnu'n bod ni'n cael mynd i Lerpwl efo'r oedolion.'

'Dwi'n cytuno,' meddai Bedwyr. 'Be amdanat ti, Iol?'

'Wel, mi fydd yn rhaid i ni wneud rhywbeth . . .' Doedd Iolo ddim wedi maddau'n llawn i Huw ond roedd o'n gweld y synnwyr yn yr hyn a ddywedai.

'A gorau po gyntaf,' ychwanegodd Mari.

'Mi wn i!'

Roedd Bedwyr wedi cael syniad. 'Be 'di pwynt protestio?'

'Tynnu sylw.'

'A be 'di'r ffordd orau o dynnu sylw?'

'Sgrechian!'

'Gweiddi!'

'Codi twrw!'

'Ia. Ond mae angen baneri er mwyn tynnu sylw go iawn. Baneri. Placiau. A phosteri. Tasen ni'n mynd ati fel lladd nadroedd i lunio rhai, mi fydden ni'n dangos i'r oedolion ein bod ni o ddifri, a'n bod ni eisio bod yn rhan o'r frwydr i achub y cwm.'

'Mi fydd yn rhaid i'r baneri fod yn lliwgar,' pwysleisiodd Mari. 'Mi fydd yn rhaid iddyn nhw ddal llygaid pobol.'

'Mae hi'n holl bwysig fod y negeseuon a'r sloganau'n fawr ac yn glir,' cytunodd Iolo.

'Reit, dwi am i bawb fynd adref i chwilio am hen focsys, papur, cynfasau gwely, paent—unrhyw beth i wneud baneri da,' trefnodd Bedwyr. 'Ac mi wnawn ni gyfarfod yn ôl yn y fan yma ymhen rhyw awr—os ydi hynny'n iawn hefo chdi, Iol?'

'Dim problem. Ond cofiwch fod yn ofalus. Dydan ni ddim eisiau tynnu sylw'r oedolion.'

Rhuthrodd Bedwyr, Huw a Mari am adre fel geifr ar daranau.

Plymiodd Bedwyr i gwpwrdd cynfasau ei fam a dechrau tyrchu. Feiddiai o ddim cyffwrdd mewn cynfas newydd neu mi fyddai Mam am ei waed. Ond o'r diwedd fe ddaeth ar draws un oedd wedi breuo ac wedi dechrau melynu yn y corneli. Fe'i stwffiodd i fyny'i siwmper, ac er ei fod o'n edrych tua dwy stôn yn drymach fe lwyddodd i sleifio o'r tŷ heb godi amheuon neb.

Cafodd Mari afael ar hen frws paent a thun o baent glas hanner llawn tra casglodd Huw ddau neu dri o focsys gwag o'r garej. Rhwygodd eu hochrau a'u plygu'n daclus er mwyn eu gwneud yn haws i'w cario.

Roedd pawb yn ôl yn y sièd erbyn chwech o'r gloch.

Roedd Iolo wedi dod o hyd i ddarnau o bren fyddai'n addas i wneud bonion i'r posteri. Roedd ganddo botyn o lud a geiriadur hefyd.

'I be wyt ti eisio hwnna?' holodd Huw.

'Wel, does dim pwynt i ni sgrifennu sloganau Cymraeg, nac oes?' meddai. 'Wnaiff pobol Lerpwl ddim deall am be rydan ni'n protestio!'

Gallai Huw fod yn dwp fel postyn weithiau.

'Dwi'n awgrymu ein bod ni'n gwneud un faner fawr efo'r gynfas a dau boster efo'r bocsys,' cynigiodd Bedwyr. Cytunodd pawb. A dyma ddechrau mesur a thorri a gludio a pheintio nes eu bod i gyd yn chwys diferol.

Gan mai ef oedd yr arlunydd gorau, Bedwyr gafodd y fraint o sgrifennu'r sloganau ar y posteri. Camodd yn ôl i edmygu'i waith. O'i flaen mewn paent llachar roedd y geiriau canlynol:

YOUR HOMES ARE SAFE. SAVE OURS.

DO NOT DROWN OUR HOMES.

CAPEL CELYN MUST LIVE.

HANDS OFF TRYWERYN VALLEY.

YOUR HOMES
ARE SAFE
SAVE
DO NOT

Pennod 3

Am wyth o'r gloch union, rowliodd dau fws i mewn i'r pentref a stopio o flaen Capel Celyn lle roedd torf gynnes, gynhyrfus, wedi ymgynnull. Roedd yr awyrgylch yn drydanol a dechreuwyd llwytho bagiau, cotiau, ambaréls, fflasgiau a thuniau bwyd i mewn i gistiau'r bysiau.

'Un, dou.'

Cracl. Clec.

'Un, dou, tri. Helô? Helô?'

Cracl. Clec.

'Odi Pwyllgor Amddiffyn Capel Celyn yn fy nghlywed i?'

‘Ydan! Hwrê!’

Allai Bedwyr ddim dal rhagor. Sbeciodd dros wal y fynwent.

‘Be weli di?’ gofynnodd Iolo.

Yna daeth ei ben yntau i’r golwg. Ac yna un Huw.

‘Be sy’n digwydd?’ holodd Mari’n daer. Roedd hi a’r plant eraill oedd yn swatio y tu ôl i wal y fynwent yn rhy fyr i allu gweld drosti.

‘Mae ’na ddyn yn profi’r uchelseinydd,’ eglurodd Iolo. ‘A dwi’n siŵr mai Mr Gwynfor Evans ydi o!’

Craffodd Bedwyr.

‘Ie, ti’n iawn. Mae o wedi bod draw acw’n trafod yr ymgyrch efo Dad yr wythnos ddwetha.’

‘Fo sy’n arwain y brotest, yntê?’ gofynnodd Huw.

‘Ie,’ meddai Bedwyr, ‘ac mae Dad yn dweud ei fod o’n areithiwr heb ei ail.’

Roedd pawb wedi clywed yr enw. Doedd Mr Evans ddim yn byw yn y cwm, ond roedd o wedi’i gynhyrfu gymaint gan gynllun Cyngor Lerpwl i foddi’r lle nes ei fod wedi dod bob cam o dde Cymru i gefnogi'r pentrefwyr. Roedd o'n uchel ei barch gan bawb.

Erbyn hyn, roedd pobol yn dechrau esgyn i'r bysiau. Teimlai Bedwyr fel jeli. Nawr oedd yr amser iddo bledio'i achos o flaen yr oedolion, ond tybed sut ymateb gâi o? Roedd Mam a Dad wedi'i siarsio i edrych ar ôl y defaid oedd yn dod ag ŵyn, ac efallai y câi lond ceg ganddyn nhw o flaen pawb.

Roedd yn rhaid iddo fod yn ddewr.

'Reit,' meddai wrth ei ffrindiau, 'ydi'r baneri gennym ni?'

'Ydyn!'

'A'r posteri?'

'Ydyn!'

'Ac ydi pawb yn barod?'

'Ydan!'

Ac i ffwrdd â nhw!

Roedd coesau Bedwyr yn gwegian wrth iddo arwain ei fintai liwgar o'r tu ôl i wal y fynwent tuag at y bysiau. Roedd wedi llwyddo i berswadio gweddill disgyblion yr ysgol i'w cefnogi—a gan eu bod nhw y tu cefn iddo gant y cant, doedd dim troi'n ôl i fod!

Daeth bloedd o ganol y miri.

'Bedwyr!' Clywodd lais syfrdan ei fam. 'Be ar wyneb y ddaear wyt ti'n ei wneud yma?'

Tawelodd pawb a throi i syllu ar y plant.

'Rydan ni eisio dod hefo chi i Lerpwl,' cyhoeddodd Bedwyr.

'Paid â siarad drwy dy het!' meddai ei fam. 'Rwyt ti i fod adref yn edrych ar ôl y defaid a'r ŵyn!'

Teimlodd Bedwyr ei fochau'n fflamio.

'Mae gennym ni, blant Ysgol Celyn, hawl i ddangos ein gwrthwynebiad i Gyngor Lerpwl hefyd!' mynnodd.

''Rargoledig!' Daeth llais mam Huw a Mari o'r dorf. 'Rydan ni wedi bod dros hyn i gyd sawl gwaith, a dwi wedi dweud wrthoch chi'ch dau nad lle plant ydi protestio!'

'Dydi hynna ddim yn deg!' taerodd Bedwyr. 'Mae gennym ni gystal hawl â neb i gefnogi'r Pwyllgor Amddiffyn! Ein capel ni ydi hwn!' pwysleisiodd. 'Ein hysgol ni ydi honna!' Pwyntiodd ati. 'A'r rhain ydi'n cartrefi ni!' Amneidiodd o'i gwmpas. 'Mae gennym ni gystal hawl â neb i ymladd drostyn nhw!'

Gallai Bedwyr deimlo llygaid Mr Evans yn serennu arno.

'Chi wedi bod yn fishi!' meddai wrth y plant, gan gyfeirio at y faner a'r posteri.

'Rydan ni eisio dangos ein bod ni o ddifri,' meddai Bedwyr.

'Fe alla i weld hynny.'

'Rydan ni'n addo na fyddwn ni ddim o dan draed ac y gwnân ni'n union fel y dywedwch chi wrthan ni,' ychwanegodd Bedwyr.

'A phwy sy'n mynd i edrych ar ôl yr ŵyn?' gofynnodd ei fam.

'Wy'n siŵr y gall y defed ddishgwl ar ôl eu hunain am un diwrnod,' meddai Mr Evans gan wincio ar Bedwyr.

Edrychodd Bedwyr a Iolo ar ei gilydd. Oedden nhw am gael mynd?

'Mae'n rhaid i chwi ddweud un peth am y plant 'ma,' meddai Mr Evans. 'Mae gyda nhw ddigon o asgwrn cefen ac mae beth mae'r crwtyn 'ma'n ddweud yn berffaith wir! Mae gyda nhw gymaint o hawl â ninnau i brotestio!'

Camodd Mr Evans at Bedwyr. Cydiodd yn ei faner ac aeth â hi i gist gefn un o'r bysiau. Yna rhoddodd yr uchelseinydd iddo.

'Edrych ar ôl hwn i mi nes y cyrhaeddwn ni Lerpwl,' meddai.

Yna arweiniodd Mr Evans y fintai liwgar i grombil y bws. Roedd gwên fawr ar ei wyneb.

Pennod 4

Doedd Bedwyr erioed wedi bod allan o Gymru. A dweud y gwir, doedd o erioed wedi bod ymhellach na Wrecsam, lle roedd brawd Nain yn byw. Roedd ei lygaid fel soseri pan wibion nhw heibio i arwydd ar fin y ffordd yn dweud eu bod nhw yn Lloegr.

Ond siom gafodd o. Tai. Pentrefi. Caeau. Coed. Afonydd. Llynnoedd. Edrychai'n union fel Cymru.

'Does 'na ddim iot o wahaniaeth,' rhyfeddodd.

'Aros di,' meddai Miss. Roedd hi'n eistedd yn y sêt y tu ôl iddo. 'Aros di nes cyrhaeddwn ni Lerpwl ei hun, ac yna mi weli di'r gwahaniaeth.'

Roedd hi'n iawn hefyd. Doedd Lerpwl yn ddim byd tebyg i'r hyn a ddychmygodd. Roedd y ddinas yn fwy, i ddechrau! Tua deg gwaith yn fwy nag unrhyw beth a welodd o'r blaen! Roedd adeiladau enfawr yn dringo i'r entrychion. Tai. Fflatiau. Siopau. Swyddfeydd. Tafarndai. Stryd ar ôl stryd ar ôl stryd. Roedd hi'n fyglyd a swnllyd yno, gyda cheir a cherbydau'n gwibio a rasio heibio. A'r bobol! Y fath bobol! Welodd Bedwyr erioed gymaint ohonyn nhw. Pawb yn mynd, mynd, mynd.

Trodd y bws i mewn i faes parcio Stryd Paradwys. Agorodd llygaid Bedwyr yn fwy fyth. Doedd o ddim wedi disgwyl hyn! Roedd torf o bobol wedi ymgynnull yno i'w croesawu. Doedd Bedwyr ddim yn adnabod yr un ohonyn nhw, ond roedd pawb yn curo dwylo a chwifio baneri.

'Pwy . . ?' holodd.

'Cefnogwyr,' torrodd Mam ar ei draws.

'Pwy ydyn nhw?'

'Cymry Lerpwl. Myfyrwyr. A phobol o bob rhan o Gymru a'r tu allan sy'n meddwl ein bod ni'n cael cam.'

Gwenodd Mam. Gwenodd Bedwyr yn ôl arni.

'Hei!' Cydiodd Iolo yn ei lawes. 'Drycha ar yr holl blismyn 'na!' Roedd dwsinau ohonyn nhw. Welodd Bedwyr erioed fwy nag un plisman ar y tro o'r blaen.

'Does mo'u hangen nhw,' meddai Mari.

'Mae pawb yn gwybod mai protest heddychlon ydi hon.'

Bedwyr oedd y cyntaf i ddisgyn o'r bws. Chwyddodd y gymeradwyaeth. Fflachiodd llu o gamerâu.

Clic. Clic. Clic.

Cafodd ei ddallu am funud gan y pla o ddynion papur newydd oedd ar drywydd stori dda. Cafodd Huw ac yntau eu ffilmio gan griw teledu wrth iddyn nhw estyn eu baneri o'r gist. Roedd gwên fawr, wirion ar wyneb Huw.

'Paid â gwenu!' hisiodd Bedwyr. 'Mae hi'n bwysig ein bod ni'n edrych fel pe bai hi'n ddiwedd y byd arnon ni.'

'Mi fydd hi os gwnân nhw foddi'r cwm . . .' meddai Iolo.

Sobrodd Huw yn syth.

'Dowch!' gwaeddodd Mari. 'Gadewch i ni wthio i'r ffrynt!' Ac fe lusgodd y tri arall i flaen yr orymdaith. Safodd y pedwar ysgwydd-wrth-ysgwydd y tu ôl i'r car oedd yn cario Gwynfor Evans. Cleciodd ei lais drwy'r uchelseinydd.

'Bobol Tryweryn!' meddai. 'Rydyn ni yma heddi i ddangos i bobol Lerpwl pa mor annheg yw boddi Cwm Tryweryn! Rydyn ni yma heddi i wneud popeth allwn ni i achub y cwm!'

Cymeradwyo mawr.

'Felly—ydyn ni am adael iddyn nhw foddi'n cartrefi ni?' gofynnodd.

'Na!'

'Ydyn ni am adael iddyn nhw foddi ein hysgol ni?'

'Na!'

'Ydyn ni am adael iddyn nhw foddi ein capel ni?'

'Na!'

Ar y nodyn byddarol hwnnw dechreuodd yr orymdaith nadreddu ei ffordd trwy strydoedd y ddinas.

Tramp. Tramp. Tramp.

Roedd pobol yn stopio ar y palmentydd i edrych arnyn nhw.

Tramp! Tramp! Tramp!

Roedd pobol yn dechrau darllen eu baneri.

Tramp! Tramp! Tramp!

Ac roedd yna rai'n cymeradwyo! Roedd pobol Lerpwl yn dechrau gwrando ar eu neges!

Edrychodd Bedwyr ar y tri arall. Doedd o ddim yn disgwyl hyn.

'Maen nhw'n rhoi eu hunain yn ein hesgidiau ni,' meddai Miss, 'ac maen nhw'n meddwl sut bydden nhw'n teimlo tasen nhw'n colli eu cartrefi.'

Grêt! Roedden nhw'n llwyddo!

Wedi troi'r gornel gwelsant Neuadd y Ddinas o'u blaenau. Rhedodd ias i lawr cefn Bedwyr. Pen y daith! Roedd Mr Evans wedi cael caniatâd i siarad efo'r Cyngor am chwarter awr ac roedd o am geisio'u perswadio i adael llonydd i'r cwm. Roedd gan Bedwyr bob ffydd ynddo. Roedd Dad wedi dweud ei fod o'n areithiwr heb ei ail.

Cerddodd Mr Evans yn urddasol drwy ddrysau'r Neuadd gyda thad Bedwyr, Miss a dau neu dri o gefnogwyr eraill yn gefn iddo. Croesodd Bedwyr ei fysedd. Roedd yn rhaid iddo lwyddo. Roedd yn *rhaid* iddo!

Aeth y dynion papur newydd yn wyllt tra bu Mr Evans yn y Neuadd, gan ddechrau holi pawb a phopeth. Stwffiwyd meicroffon o dan drwyn nain Bedwyr a holwyd taid Iolo'n dwll. Mynnodd un ohonyn nhw dynnu llun Bedwyr, Iolo, Huw a Mari yn dal y faner 'Save our Homes'.

'Cofiwch beidio â gwenu,' siarsiodd Bedwyr. A wnacthon nhw ddim.

Agorwyd drysau'r Neuadd. Daliodd pawb eu gwynt. Ond nid Mr Evans oedd yn sefyll yno. Miss oedd wedi sleifio allan i ddweud sut hwyl roedd o'n ei gael.

'Ie, wel, sut mae pethau'n mynd?'

'Tanbaid!'

'Ydyn nhw'n cymryd sylw ohono?'

'Mae hi'n edrych felly!'

Yna diflannodd Miss yn ôl i'r Neuadd.

Gallai Bedwyr glywed ei galon yn drybowndian. Byddai Mr Evans yn siŵr o lwyddo! Byddai'n gorfodi'r Cyngor i wrando ar lais pobol gyffredin Lerpwl. Roedd nifer o'r rheini yn erbyn boddi'r cwm. Fe welodd Bedwyr hwy'n curo dwylo yn ystod yr orymdaith. Roedd dymuniadau'r bobol yn siŵr o fod yn bwysicach na'r elw fyddai'r Cyngor yn ei wneud wrth werthu dŵr o'r gronfa.

'Croeswch eich bysedd, hogia!' meddai Bedwyr.

'A bysedd eich traed!' atebodd Iolo.

Ymhen chwarter awr union gwthiwyd drysau'r Neuadd yn agored.

Safai Gwynfor Evans yno.

Daliodd Bedwyr ei anadl.

Pennod 5

Bob blwyddyn ar y dydd arbennig yma, byddai Bedwyr yn sgrialu i lawr y grisiau. Ond y bore hwn bu'n syllu ar y nenfwd am funudau hir. Doedd Mam ddim yma. A doedd Dad ddim yma. Roedden nhw wedi mynd i Lundain achos heddiw roedd Tŷ'r Cyffredin yn penderfynu a oedden nhw am roi caniatâd i Gyngor Lerpwl foddi Cwm Tryweryn. A heddiw oedd diwrnod pen-blwydd Bedwyr yn wyth oed.

Methodd Gwynfor Evans berswadio'r Cyngor i achub y cwm, ac ar ôl y brotest fe gynhalion nhw etholiad i bobol y ddinas i ofyn eu barn. Roedd nifer o'r bobol gyffredin fu'n curo dwylo ar y stryd wedi pleidleisio yn erbyn boddi'r cwm, ond roedd nifer ohonyn nhw heb drafferthu. A gan fod nifer o aelodau'r Cyngor ei hun wedi pleidleisio o blaid, y nhw enillodd y dydd.

Bu mwy o bleidleisio a gwrthwynebu yng Nghwm Tryweryn, felly bu'n rhaid i Gyngor Lerpwl fynd yr holl ffordd i Dŷ'r

Cyffredin i gael caniatâd arbennig i foddi'r cwm. A phe baen nhw'n cael y caniatâd hwnnw fe fyddai hi ar ben ar Gwm Tryweryn.

Llusgodd Bedwyr i lawr y grisiau. Roedd Nain yn aros amdano yn y gegin.

'Pen-blwydd hapus!' meddai wrtho, yn wên o glust i glust.

'Ydi o?' gofynnodd Bedwyr.

'Twt lol!' meddai Nain. 'Wrth gwrs ei fod o! Mi gawn ni barti enfawr heno pan ddaw pawb adre o Lundain.'

'Be tasa ganddyn nhw newyddion drwg?'

'Be haru ti, hogyn? Fydd ganddyn nhw ddim newyddion drwg, siŵr.'

Roedd Nain yn benderfynol. Roedd hi wedi dweud o'r cychwyn cyntaf na fyddai'r un o'i thraed hi'n symud modfedd o'r cwm. Roedd hi wedi ei geni a'i magu yno, a dyna ble roedd hi eisiau marw hefyd. Roedd hi wedi dweud hynny ym mhob rali y buon nhw ynddi dros y misoedd dwetha. Ac roedd hi 'run mor benderfynol ag erioed. Ac os oedd Nain yn gallu bod yn styfnig fel mul, doedd Bedwyr ddim yn gweld pam na allai yntau fod felly hefyd.

Teimlai'n well.

Roedd Cyngor Lerpwl wedi taflu cwmwl dros bawb a phopeth yn ystod y flwyddyn ddwetha. Châi o ddim taflu cwmwl dros ei ben-blwydd hefyd.

Sodrodd Nain bentwr o gardiau o'i flaen.

'Piti garw na fydden ni'n cael pen-blwydd ddwy waith y flwyddyn fel y frenhines,' meddai, wrth brysuro i baratoi brecwast.

Dechreuodd Bedwyr ddarllen ei gardiau. Cerdyn Mam a Dad, cerdyn Nain a Taid Bala, cerdyn Dewyrth Ifan Llanuwchllyn . . .

Bang! Bang! Bang!

Chwyrlïodd Iolo, Huw a Mari i mewn gydag anrhegion pen-blwydd. Taffi gan Iolo. Pêl griced gan Huw, a chopi o *Llyfr Mawr y Plant* gan Mari. Dyma syrpreis! Doedd Bedwyr ddim wedi disgwyl dim byd gan fod arian yn brin yn y cwm. Roedd rhieni pawb yn gorfod cynilo gan fod perygl iddyn nhw golli eu gwaith yn y ffermydd neu'r chwarel neu'r rheilffordd, pe bai'r cwm yn cael ei foddi. Roedd Bedwyr yn wên o glust i glust.

'Mae hi'n biti na fydden ni'n cael pen-

blwydd deirgwaith y flwyddyn,' meddai Nain gyda winc fawr.

'Drycha ar hwn!' meddai Iolo, gan daro papur newydd o'i flaen.

'Be ydi o?' holodd Huw.

'Papur newydd, y lembo!' meddai Iolo. Gallai Huw fod yn dwp weithiau.

'Dydi o ddim yn bapur newydd lleol, yn nag ydi?' sylwodd Mari.

'Papur o America ydi o. Mi gyrhaeddodd y bore 'ma. Cefnder Mam yrrodd o drosodd o Efrog Newydd. A drycha lluniau pwy sy ynddo fo!'

Ar y dudalen flaen, roedd llun y pedwar ohonyn nhw'n dal y faner 'Save our Homes' yn Lerpwl.

'Fyddwn ni'n enwog yn America rŵan hefyd,' meddai Mari, wrth ei bodd.

Roedd eu lluniau wedi ymddangos mewn papurau a chylchgronau drwy Ewrop gyfan ac roedd Pwyllgor Amddiffyn Capel Celyn wedi derbyn llythyrau o gefnogaeth o bob cwr o'r byd. Teimlai Bedwyr yn falch fod pobol America hefyd, erbyn hyn, yn cymryd diddordeb mewn cwm bychan yng nghefn gwlad Cymru.

'Gadwch i mi gael cip ar hwnna,' meddai Nain. 'Dwi'n siŵr fod gennych chi bethau gwell i'w gwneud.'

Estynnodd amlen fawr felen i Bedwyr.

'Be ydi o?'

'Agor o!' meddai Nain.

'Ia! Brysia!'

'Ond dydw i ddim yn disgwyl mwy o gardia!'

'Efallai nad cardyn ydi o,' meddai Iolo.

'Agor o!'

Roedd pedwar tocyn trên yn yr amlen!

'Anrheg oddi wrth Mam a Dad ydyn nhw,' meddai Nain. 'Doedden nhw ddim yn hapus eu bod nhw wedi gorfod mynd i Lundain ar ddiwrnod dy ben-blwydd di, felly roedden nhw eisiau i ti gael anrheg arbennig iawn! Roedden nhw'n meddwl y baset ti'n hoffi reid ar y trên i Flaenau Ffestiniog ac yn ôl.'

Trenau, trenau a mwy o drenau—dyna oedd prif ddiddordeb Bedwyr cyn i bopeth fynd ar chwâl efo'r ymgyrchu. Byddai wrth ei fodd yn darllen llyfrau ac astudio lluniau ohonyn nhw. A byddai'n cael modd i fyw pan gâi fynd am reid mewn un. Anaml iawn y byddai hynny'n digwydd ers i Taid farw. Flynyddoedd yn ôl, Taid oedd yn gyrru'r trên drwy'r cwm o Flaenau Ffestiniog i'r Bala, a dyna oedd uchelgais Bedwyr hefyd.

Ond pe bai'r cwm yn cael ei foddi, byddai'r rheilffordd yn cael ei boddi hefyd . . . doedd Bedwyr ddim am feddwl am hynny achos doedd o ddim yn mynd i ddigwydd, oedd o?

'I bwy mae'r tri tocyn arall?' holodd Huw.

'I chi'ch tri, yntê, y lembo!' meddai Bedwyr. 'Rargoledig! Dowch! Rhaid i ni frysio i'r orsaf neu mi fydd y trên yn mynd hebddon ni!'

Neidiodd y pedwar ar eu traed. Yna cofiodd Bedwyr am y dyfarniad yn Nhŷ'r Cyffredin.

'Beth os bydd 'na ryw newyddion, Nain?' gofynnodd.

'Fydd 'na ddim.'

'Mi ddywedodd Dad y byddai o a Mam yn ôl erbyn tua dau.'

'Mi fydd hi'n hwyrach na hynny.'

'Mi ddywedodd o y byddai'n ffonio drws nesa tasa fo'n clywed unrhyw beth.' Doedd dim ffôn yn Llety Celyn.

'Yna mi wnaiff o.'

'Ond sut gawn ni glywed be oedd y dyfarniad?'

‘Os bydd ’na unrhyw newyddion, mi gewch chi glywed pan ddowch chi adref.’

‘Mi fyddai’n well gen i glywed yn syth bìn,’ meddai Bedwyr.

‘Efallai na ddylen ni fynd ar y trên,’ mentrodd Mari.

‘Peidiwch â bod yn wirion!’ dwrdiodd Nain.

‘Efallai bod Bedwyr yn iawn w’chi,’ meddai Iolo.

‘Ylwch, os clywa i unrhyw beth o Dŷ’r Cyffredin ’na mi ddo i i lawr i’r orsaf i chwilio amdanoch chi,’ dywedodd Nain.

Teimlai Bedwyr yn hapusach.

‘Addo?’ gofynnodd.

‘Addo,’ meddai Nain. ‘Rŵan, heglwch hi am yr orsaf ’na neu mi gollwch chi’r trên.’

Sh-ch-sh-ch-sh-ch-sh-ch-sh-ch . . .

Roedd y trên yn codi stêm a theimlai Bedwyr ar ben ei ddigon wrth bwyso’i drwyn yn erbyn y ffenestr laith. Roedd Miss bob amser yn dweud eu bod nhw’n byw mewn gwlad fendigedig, ac roedd hi’n iawn hefyd.

'Aw!'

'Be?'

'Aaaaaw!' cwynodd Iolo eto.

'Be sy'n bod?' holodd Bedwyr.

'Mae'r blincin taffi 'ma wedi mynd yn sownd yn fy nant i.'

Chwarddodd Bedwyr.

'Dydi o ddim yn ddoniol!'

'Nac'di, dwi'n gwybod!'

'Paid â chwerthin 'ta!'

'Mi ddywedodd y deintydd wrthat ti am beidio bwyta fferins neu mi fydd gen ti ddannedd pegs,' meddai Huw.

'Do'n i ddim yn meddwl y byddai un bach yn gwneud gwahaniaeth.'

'Hwnna ydi'r trydydd lwmpyn i ti ei fwyta,' meddai Mari, 'ac anrheg Bedwyr ydi'r taffi 'na i fod.'

Ceisiodd Iolo newid y sgwrs.

'Ddywedais i wrthach chi am y dyn papur newydd o Lundain welais i yn y ddeintyddfa yr wythnos ddwetha?'

'Naddo.'

'Wel, ydach chi'n cofio fi'n sôn wrthach chi am Tegi?'

'O! Na! Ddim Tegi eto!' meddai Huw.

'Plîs paid â dechra rwdlan am hynna!' plediodd Mari.

'Dwi'n dweud y gwir!' taerodd Iolo.

'Wyt, wyt,' meddai Bedwyr heb goelio gair.

'Wel, mi ddywedodd y dyn ei fod o wedi tynnu llun o'r anghenfil!'

'Ie, ie . . .'

'Mi wnaeth o!'

'Pam nag ydi o wedi cyhoeddi'r llun yn un o'r papurau 'ta?'

'Wel, y, dydi o ddim wedi cael cyfle eto!'

Doedden nhw ddim yn coelio 'run gair roedd Iolo'n ei ddweud.

'Mae o'n reit debyg i fwystfil Loch Ness yn yr Alban. Mae ganddo yntau wddw mawr hir sy'n ymestyn allan o'r dŵr, pen fel pêl rygbi, ffroenau fel canŵs a llygaid fel soseri!'

'Paid â dweud celwydd!' meddai Mari.

'Dydw i ddim!'

'Ti'n eu rhaffu nhw!'

'Ar fy llw!'

Allai Bedwyr ddim peidio â chwerthin wrth i'r trên dynnu i mewn i orsaf Blaenau Ffestiniog, a'r tro yma roedd Huw a Mari yn gweld yr ochr ddoniol hefyd. Doedd Iolo'n newid dim!

'Bedwyr? Bedwyr Jones?' Daeth bloedd dros y platfform wrth i'r pedwar aros am y trên adref.

Dai Cawr, gyrrwr y trên, oedd yn galw.

'Ro'n i'n clywed fod rhywun yn cael ei ben-blwydd heddiw,' meddai.

'Sut gwyddoch chi?'

'Dy nain ddywedodd. Roedd hi'n dweud dy fod ti bron â thorri dy fol eisio gyrru'r trên fel roedd dy daid yn arfer ei wneud erstalwm.'

Doedd Bedwyr ddim yn siŵr ai tynnu coes roedd Dai.

'Wel? Wyt ti'n gêm?' gofynnodd Dai Cawr.

'Mi faswn i wrth fy modd!' atebodd Bedwyr.

'I ffwrdd â ni 'ta,' meddai Dai gan gydio yn ei law a hanner ei lusgo i flaen y trên.

Edrychodd y tri arall ar ei gilydd. Doedd Bedwyr erioed yn mynd i gael eu gyrru adref?

'Paid a dreifio i mewn i'r wal!' gwaeddodd Huw ar ei ôl.

'Does dim wal ar reilffordd, siŵr,' meddai Iolo. 'Gyrru oddi ar y rêls ydi'r peryg mwyaf!'

Roedd hi fel popty yn y cerbyd gyrru a'r gwres bron yn annioddefol pan agorai'r taniwr y drws i lwytho mwy o lo ar y tân oedd yn gyrru'r injan.

Sh-ch-sh-ch-sh-ch-sh-ch-sh-ch . . .

Teimlai Bedwyr ar ben ei ddigon wrth afael yn dynn yn y llyw. Roedd dwylo rhawiau Dai Cawr o boptu i'w ddwylo ef

—rhag ofn—ond wnaeth o 'run camgymeriad. Mae'n rhaid fod gyrru trên yn rhedeg yn y teulu!

'Mi fyddet ti wedi gwneud gyrrwr heb dy ail,' meddai Dai Cawr. 'Mi fydd hi'n biti garw os caean nhw'r lein . . .'

Ond doedd Bedwyr ddim am feddwl am hynny. Cydiodd yng nghordyn y corn a'i dynnu â'i holl nerth. Roedd sŵn y chwiban yn ddigon i'w byddaru, ac am eiliad anghofiodd Bedwyr am bob bygythiad i'r cwm.

Bownsiodd y pedwar oddi ar y platfform.

'Fedra i ddim credu mai ti yrrodd ni adref!' chwarddodd Mari.

'Na finna!'

'Wnest ti'r un camgymeriad chwaith!' meddai Huw.

'Naddo'r lembo, neu fydden ni ddim yma rŵan i ddweud yr hanes!'

Chwarddodd y pedwar.

Ond ciliodd y wên oddi ar wyneb Bedwyr. Yno, wrth y glwyd, safai Dad a Mr Morris, taid Iolo. Doedd dim rhaid gofyn beth oedd y dyfarniad.

Pennod 6

'Mam!' cyfarthodd Bedwyr. 'Oes *rhaid* i chi wneud hynna? Nid plentyn ydw i!'

'Oes.' Roedd Mam yn cribo'i wallt mor ffyrnig nes ei fod yn gorwedd yn fflat fel crempog ar ei ben. 'Fe ddylai bachgen pedair ar ddeg oed fedru cribo'i wallt yn dwt erbyn hyn!'

Y munud y gorffennodd hi, chwalodd Bedwyr ei champwaith.

'Bedwyr!' Roedd Mam yn flin fel tincar.

'Gad iddo fo,' meddai Nain. 'Wnaiff sut mae o'n edrych ddim gwahaniaeth o gwbwl heddiw.'

Gwenodd Nain yn gam arno. Roedd hi wedi heneiddio llawer dros y blynyddoedd diwethaf. Roedd ei gwallt brith bellach yn gwmwl claerwyn ar ei phen.

'Reit, dwi'n mynd,' meddai Bedwyr.

'Mi ddown ni ar d'ôl di,' meddai Nain.

'Wela i chi ar ben dau.'

Dyna pryd roedd y seremoni i gau Ysgol Celyn yn dechrau ac roedd Nain yn mynnu ymlwybro yno er gwaetha'r ffaith ei bod yn ei chwman bellach.

'Roedd dy hen-nain yno pan agorwyd y drysau am y tro cyntaf yn 1881,' meddai, 'ac mi fydda i yno pan gân nhw eu cau am y tro olaf.'

Cyfarfu Bedwyr y tri arall yn nhŷ Iolo.

'Wyt ti wedi cofio'r anrheg?' gofynnodd i Mari.

'Wrth gwrs.' Dangosodd Mari barsel oedd wedi'i lapio mewn papur llwyd. Roedd Bedwyr wedi trefnu casgliad i brynu ffrâm llun i Miss. Roedd ffotograffydd o Lundain wedi tynnu llun ohoni hi a'r disgyblion yn sefyll tu allan i'r ysgol reit ar ddechrau'r ymgyrch saith mlynedd yn ôl, ac roedden nhw wedi gosod hwnnw yn y ffrâm.

Doedd gan neb fawr o ddim i'w ddweud ar y ffordd i'w hen ysgol. Aethant heibio i'r orsaf. Roedd hi wedi cau. Yna aethant heibio'r capel. Fyddai hi fawr o dro nes y bydden nhw'n cau'r drysau am y tro olaf yno hefyd.

Chwyrlïodd lorri drom tuag atynt. Neidiodd y pedwar i'r clawdd o'r ffordd. Tasgwyd dŵr o bwll budur dros Mari.

'Allan nhw ddim stopio gweithio hyd yn oed ar ddiwrnod fel heddiw?' bytheiriodd. Roedd ei ffrog hi'n stremps i gyd.

Roedd Bedwyr hefyd wedi cael llond ei fol ar loriau Cyngor Lerpwl. Roedden nhw'n rhuo i fyny ac i lawr y cwm, trwy'r dydd, bob dydd, gan wasgaru llwch a budreddi i bobman. Roedden nhw'n cario graean a cherrig i ben uchaf y cwm lle'r oedd gwaith o adeiladu'r argae eisoes wedi dechrau.

'Fydd hi ddim yn hir nes y byddan nhw'n cario cerrig o waliau'r ysgol i'r argae,' meddai Iolo. Roedd y pedwar yn gwybod mai dyna fyddai hanes cerrig eu tai hwythau hefyd, unwaith y bydden nhw'n cael eu chwalu.

Aethant drwy giatiau'r ysgol fach . . . rhoi eu cotiau ar y fachau fel yr arferent wneud erstalwm . . . ac wrth weld y plant yn eistedd wrth eu desgiau am y tro olaf un, llifodd yr atgofion yn ôl i'r pedwar ohonynt.

Roedd Bedwyr yn cofio eistedd yno am y tro cyntaf. Ar ei ddiwrnod cyntaf yn yr ysgol, roedd wedi strancio a sgrechian nes bod ei wyneb yn biws. Anghofiai o fyth y ffrae a gafodd gan Miss am drio'i heglu hi adref i Llety Celyn at Mam a Dad. Cafodd ei siarsio nad oedd i fod i ddianc byth eto. Ond heddiw, doedd arno ddim mymryn o awydd gwneud hynny.

Roedd yr ysgol yn orlawn. Disgyblion. Cyn-ddisgyblion fel hwythau. Mamau. Tadau. Brodyr a chwiorydd hŷn. Brodyr a chwiorydd iau. Neiniau. Teidiau. Sawl Modryb ac Ewythr . . .

Roedd Huw wedi'i wasgu i gongl. Gwenodd Bedwyr. Yn y gongl efo'i wyneb at y wal y treuliodd Huw y rhan fwyaf o'i amser yn yr ysgol. Am gwffio gyda Iolo yr anfonwyd o yno gan amlaf. Ond chafodd Iolo yr un llygad du na thrwyn gwaed ers dechrau'r ymgyrch, a chariodd Mari yr un stori adref i'w rhieni amdano chwaith.

Roedd Bedwyr yn mynd i hiraethu am Huw a Mari. Doedden nhw ddim yn symud i'r tai newydd ym Mron Celyn. Roedd eu tad wedi cael cynnig gwaith ar fferm yng Nghorwen, felly roedd y teulu'n symud i ardal arall, filltiroedd i ffwrdd. Byddai Bedwyr yn siŵr o'u gweld yn yr Ysgol Ramadeg yn y Bala, ond fyddai hynny ddim 'run peth, rhywsut.

Clap, clap, clap . . .

Rhoddodd Iolo hergwd iddo. Roedd Bedwyr wedi colli'r araith gyntaf wrth hel meddyliau. Tro Miss oedd hi i siarad nawr.

'Mae heddiw yn ddiwrnod trist arall yn hanes y cwm . . .'

'Clywch! Clywch!'

'Fe fyddwn ni'n cau drws yr ysgol am y tro olaf heddiw,' meddai. 'Nid am ein bod ni eisiau gwneud hynny, ond am nad oes gennym ni ddewis. Fe frwydron ni'n galed i achub Ysgol Celyn, ac allwn ni ddim anghofio rhan y plant yn y frwydr.'

Gallai Bedwyr weld ei fam yn cymeradwyo'n frwd.

'Fe wnaethon nhw fel ninnau eu gorau glas i ddangos i aelodau seneddol mai'r camgymeriad mawr ydi boddi pentre a chwalu cymdogaeth dim ond er mwyn i Gyngor Lerpwl wneud pres.'

Clywyd lorri arall yn chwyrnellu heibio wrth deithio tuag at ben y cwm.

'Mae'r rhan fwyaf ohonoch sy'n bresennol heddiw yn cofio'r amser a dreulioch chi yma fel amser hapus iawn ac rydw innau, fel chithau, yn falch iawn fy mod i wedi cael bod yn rhan o'r ysgol.'

Roedd llais Miss yn crynu.

'Mi fydda i'n dysgu mewn ysgol arall y tymor nesaf ac mi fydd hi'n newid byd mawr arna i, ond mi fydda i'n cofio'r blynyddoedd hapus iawn a dreuliais i yn Ysgol Celyn am byth. Dwi'n mawr obeithio y gwnewch chithau yr un fath.'

Roedd y dagrau'n disgleirio yn llygaid Miss, a phan gyflwynodd Mari'r anrheg iddi allai hi mo'u rhwystro rhag powlio i lawr ei bochau. Roedd lwmp yng ngwddw Bedwyr hefyd, ond roedd o'n benderfynol o beidio â chrio er ei fod o wedi sylwi bod Iolo a Huw yn snwffian.

Cafodd bawb amser i ddod atynt eu hunain wrth ganu'r emyn, sef 'Dan dy fendith wrth ymadael'. Y disgyblion oedd wedi ei ddewis am mai hwnnw oedd ffefryn

Miss. Cafwyd dwy neu dair araith arall, ac ar ôl i'r ffotograffydd dynnu rhagor o luniau cyhoeddodd Miss fod croeso i bawb fynd drwodd i'r gegin ar ddiwedd y cyfarfod i fwynhau'r te oedd wedi'i baratoi yno.

Cododd y gynulleidfa ar ei thraed i ganu'r anthem genedlaethol. Chlywodd Bedwyr neb yn canu 'Hen wlad fy nhadau' fel y canwyd hi y prynhawn hwnnw. Chwyddai'r dôn yn uwch ac yn uwch ac roedd Bedwyr yn canu o waelod ei galon. Yna sylwodd ar Nain yn sefyll yn benisel ym mhen pella'r ystafell ddosbarth. Roedd rhychau ei hwyneb yn wlyb. Doedd o erioed wedi ei gweld hi'n crio o'r blaen. Anghofiodd bopeth am y canu . . .

Pennod 7

‘Mae’r cwm ’ma’n edrych yn debycach i wyneb y lleuad na dim arall.’

Trodd Bedwyr wrth glywed y llais. Synnodd wrth weld Iolo’n sefyll y tu ôl iddo.

‘O ble doist ti?’

‘Mae Taid newydd gyrraedd efo’r lorri.’ Amneidiodd Iolo at fuarth Llwyn Celyn islaw. Gallai Bedwyr weld fod Mam a Dad wedi dechrau llwytho’r dodrefn i’w chrombil.

Trodd Bedwyr yn ôl i edrych ar y cwm islaw. Roedd Cwm Tryweryn fel diffeithwch. Doedd dim coed, na llwyni, na gwrychoedd, na waliau, na’r un adeilad yn unman. Chwalwyd pentref Capel Celyn yn llwyr—y tai a’r ysgol, y llythyrdy a’r capel, a chodwyd traciau’r trên. Roedd lorïau a JCBs Cyngor Lerpwl wedi gwneud eu gwaith yn drylwyr.

‘Fyddet ti byth yn dweud mai yn y fan acw roedd ein tŷ ni’n arfer bod,’ meddai Iolo gan bwyntio at y patshyn moel yn is i

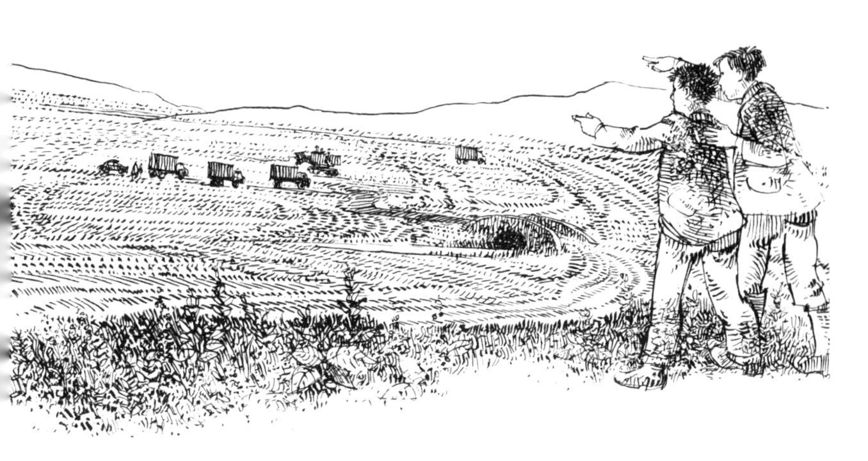

lawr y dyffryn. Doedd yr un garreg na llechen ar ôl.

'Sut mae hi'n mynd ym Mron Celyn?' holodd Bedwyr.

'Mi fydd hi'n well ar ôl i ti gyrraedd. O leiaf wedyn mi fydd gen i rywun i gadw cwmni i mi ar ôl yr ysgol.'

Roedd Bedwyr wedi bod yn unig iawn oddi ar i Iolo symud. Roedd y gyda'r nosau'n teimlo'n hir hebddo fo, Huw a Mari.

Sylwodd Iolo ar drywsus Bedwyr.

'Ych! Y mochyn!'

'Be sy'n bod?'

Pwyntiodd Iolo at staen mawr melyn. 'Be wnest ti?'

'Fy mrecwast i ydi o. Mi drawodd Mam

a Dad yn erbyn bwrdd y gegin wrth iddyn nhw lusgo'r ddresel i'r buarth. Mi aeth pob dim yn smonach.'

'Dyna pam y doist ti i fyny i fan hyn—i gael llonydd?'

Nodiodd Bedwyr. 'Ac mi oedd gen i awydd cael un golwg ola ar y lle.'

'Mi fydd 'na bysgod yn nofio yn y fan yma cyn bo hir,' meddai Iolo. 'A chychod yn hwylio.'

Edrychodd Bedwyr arno. Dyna'r peth olaf yr oedd o eisiau ei glywed. 'Wsti be,' dywedodd Bedwyr, 'efallai y gwnaiff Tegi symud i fyw yma hefyd!'

Gwenodd Iolo ei wên gam.

'Mi fyddai'n well i ni fynd i roi help llaw iddyn nhw i symud y dodrefn,' meddai ymhen ychydig.

'Byddai, mae'n siŵr.'

Thorrodd yr un o'r ddau air wrth gerdded i lawr y bryncyn yn ôl i'r tŷ. Chlywon nhw ddim bref yr un ddafad na buwch chwaith. Roedd hi'n anodd dygymod â'r tawelwch ers i'r anifeiliaid fynd.

Llifai'r haul i mewn drwy ffenest y gegin a synnodd Bedwyr pa mor olau oedd yr ystafell heb y celfi. Taranodd Mam dros y rhiniog gan estyn bocs gwag iddo.

'Rydan ni wedi clirio'r rhan fwya o'r petha o d'ystafell wely di,' meddai. 'Dim ond rhyw fanion sydd ar ôl. Cynta'n y byd, gorau'n y byd i ti eu casglu nhw.'

Roedd Bedwyr wedi cwyno erioed fod ei ystafell wely yn ddim mwy na bocs chwain a bod dim lle i droi ynddi. Ond, heb y gwely, y gadair, y drych a'r cwpwrdd dillad, edrychai ddwywaith y maint. Ar ganol y llawr roedd pentwr o lyfrau trên, *Llyfr Mawr y Plant*, *Teulu'r Cwpwrdd Cornel*, pêl griced, brwsys paent a dryll pren oedd wedi gweld dyddiau gwell. Roedd Iolo ac yntau wedi treulio oriau'n chwarae milwyr efo hwnnw. Sawl tro, roedd Mam wedi rhoi pryd o dafod iddyn nhw am neidio oddi ar y gwely gan smalio eu bod yn neidio allan o awyren efo parasiwt. Paciodd Bedwyr y cyfan yn ofalus. Yna rhoddodd gaead ar y bocs.

'Ydi bob dim gen ti, cyw?'

Nain oedd yn holi.

'Yndi . . . am wn i . . .'

Distawrwydd.

Wyddai'r un o'r ddau beth i'w ddweud.

'Brysiwch, bendith y Nefoedd i chi!' Chwyrlïodd Mam i mewn a chipio'r bocs o ddwylo Bedwyr. 'Mae Iolo, Mr Morris a Dad yn disgwyl amdanon ni yn y lorri! Maen nhw ar frys. Does 'na ddim munud i'w sbario.'

'Rho bum munud i ni, Martha,' meddai Nain.

'I be?'

'I ni gael un golwg arall ar yr hen le.'

'Pum munud,' meddai Mam. 'Dim mwy.' Roedd hi'n ymarferol iawn. Roedd Bedwyr wedi disgwyl iddi fod dan deimlad, ond doedd hi ddim yn ymddangos felly. Roedd hi wedi mynd, mynd, mynd, heb eiliad o hoe, o'r diwrnod y clywodd hi eu bod yn gorfod symud i dŷ bach pitw ar gyrion Bron Celyn.

'Unwaith y dowch chi i lawr y grisiau a chroesi'r rhiniog, peidiwch ag edrych yn ôl,' siarsiodd. 'Mi fydd hi'n haws felly.' Yna trodd ar ei sawdl a'u gadael.

Rhedodd Nain ei llaw'n ysgafn dros y pentan. Roedd hi'n bell, bell i ffwrdd, yn ei byd bach ei hun.

'Ydach chi'n iawn, Nain?' holodd Bedwyr ar ôl ychydig funudau.

'Hm?'

'Ydach chi'n iawn?'

'O . . . y . . . yndw . . . Meddwl o'n i . . .'

'Am be?'

'. . . wel . . . yn y fan yma y ganed dy dad a thad dy dad, a'i dad yntau cyn hynny. Meddwl o'n i pa mor drist ydi hi mai ni fydd yr ola o'r hen deulu i fyw yma . . .'

'Chawson ni ddim dewis, Nain.'

'Naddo. Ac mi frwydron ni'n galed i achub y cwm.'

'Dim digon caled efallai . . .' meddai Bedwyr yn benisel.

'Mi wnaethon ni ein gorau,' meddai Nain yn siarp. 'All neb wneud mwy na hynny.'

'Pam na wrandawodd Tŷ'r Cyffredin ar Mr Evans, Nain?'

'Mi fyddai pethau wedi bod yn wahanol, wsti, pe bai gennym ni ein senedd ein hunain . . .' breuddwydiodd hithau.

'Senedd?'

'Fyddai'r un o gynghorau Lloegr byth wedi cael caniatâd i foddi cwm yng Nghymru wedyn.'

'Ydach chi'n meddwl y cawn ni fyth senedd i Gymru 'ta?'

'Mae hynny'n dibynnu ar bobol ifanc fel chdi a Iolo a Huw a Mari, tydi?'

'Ni?'

'Dim ond chi fedr wneud yn siŵr na fydd rhywbeth fel hyn byth yn digwydd eto.'

Roedd Nain yn edrych i fyw ei lygaid.

'Mi rydw i'n rhy hen i frwydro am Senedd,' meddai, 'ond dwyt ti ddim. Na dy ffrindiau chwaith. A dwi am i ti addo un peth i mi.'

'Be?'

'Dwi am i ti addo y byddi di'n dweud wrth bawb, ym mhobman, am yr hyn ddigwyddodd yng Nghwm Tryweryn. Wedyn, os byddan nhw'n trio gwneud yr un peth yn rhywle arall . . .'

'Ydach chi'n meddwl y gwnân nhw hynny?' torrodd Bedwyr ar ei thraws.

'Wrth gwrs y gwnân nhw,' meddai Nain. 'Ond bryd hynny, rydw am i ti fod yno i atgoffa pawb o'r annhegwch fu yng Nghwm Tryweryn. Dwi am i ti wneud yn siŵr na fydd yr un camgymeriad yn cael ei wneud yn unman arall. Byth eto.' Fflachiai styfnigrwydd yn llygaid Nain. 'Wnei di addo i mi, Bedwyr?'

'Dwi'n addo.'

Gwasgodd Nain ei law yn dynn, ac yn sydyn roedd Bedwyr yn teimlo'n llawer mwy sicr ohono'i hun.

'Tyrd, mae hi'n bryd i ni fynd.'

Dilynodd Bedwyr Nain i lawr y grisiau gan sylwi fel roedd ei llaw rychiog hi'n gafael yn dynn yn y canllaw. Châi hi ddim cyfle i'w gyffwrdd o byth ar ôl heddiw. A doedd hynny ddim yn deg . . . ddim yn deg o gwbwl.

Stopiodd Nain ar ganol llawr y gegin. Ddywedodd hi 'run gair, dim ond edrych o'i chwmpas. Yna, ar ôl eiliad neu ddwy, ymlwybrodd yn araf tuag at ddrws y cefn. Croesodd Bedwyr y rhiniog ar ei hôl. Roedd o wedi disgwyl iddi aros amdano, ond yn ei blaen yr aeth hi gan ddal ei phen yn uchel.

Fo, felly, oedd yn mynd i orfod cau drws y cefn.

Anadlodd yn ddwfn.

Doedd arno ddim mymryn o eisiau gwneud hyn, ond doedd Cyngor Lerpwl ddim wedi rhoi llawer o ddewis iddo, yn nag oedd? Cydiodd yn y bwlyn. Syllodd yn hir ar y cyntedd gwag. Yna rhoddodd glep ar y drws.

Edrychai pawb yn y lorri yn syth yn eu blaenau. Estynnodd Iolo ei law i helpu Bedwyr i esgyn i'r caban. Taniodd Mr Morris yr injan ac roedd Bedwyr yn falch o gael unrhyw beth i dorri ar y tawelwch. Symudodd y lorri'n araf a chrynedig i lawr y ffordd.

Edrychodd Bedwyr ar Nain. Roedd hi'n eistedd fel delw, yn dawel benderfynol.

Yna edrychodd Bedwyr ar Dad. Eisteddai yntau'n gefnsyth yn ei sedd, heb golli dim o'i urddas. Am ryw reswm, cofiodd Bedwyr am yr iglw sgwâr y bu'r ddau ohonyn nhw'n ei adeiladu yn yr ardd gefn pan gawson nhw Nadolig gwyn un flwyddyn. A chofiodd am yr halibalŵ a fu un Dydd Mawrth Crempog pan laniodd y grempog a luchiodd i'r awyr o'r badell ffrio yn un smonach yng ngwallt Mam! Gwenodd yn drist a throi i edrych arni hi. Synnodd. Roedd ei dau lygad yn byllau dyfrllyd, du.

Daethant i ben y ffordd drol. Roedd dau JCB wedi eu parcio'n bowld ger y llidiart yn barod i reibio. Wel, fe gaent wledd yn Llwyn Celyn. Caeodd Mam ei llygaid am eiliad, a llifodd un deigryn gloyw i lawr ei boch.

Er iddo gael ei siarsio i'r gwrthwyneb, allai Bedwyr ddim peidio ag edrych yn ei ôl. A'r mwyaf yr edrychai, y mwyaf pendant yr oedd o na fedrai dorri ei air i Nain. Roedd hi'n iawn. Allai o ddim gadael i neb, byth, anghofio beth ddigwyddodd yng Nghwm Tryweryn.

Daeth lwmp pigog i'w wddf wrth iddo edrych ar Llety'r Celyn yn mynd yn llai ac yn llai ac yn llai yn y cefndir. Fedrai Bedwyr ddim gweld y drysau, na'r ffenestri, na'r beudai bellach. Dim ond smotyn gwyn bach, bach, oedd ei hen gartref. Ochneidiodd yn benderfynol. Yna trodd i edrych yn syth yn ei flaen.